Benjamin
et la Saint-Valentin

À de bons amis, Tarah et Caitlin Blum — S.J.

À papa Wilf, avec amour — B.C.

Données de catalogage avant publication (Canada)

Bourgeois, Paulette
 [Franklin's valentines. Français]
 Benjamin et la Saint-Valentin

Traduction de : Franklin's valentines.
ISBN 0-439-00435-7

I. Clark, Brenda. II. Duchesne, Christiane, 1949-   . III. Titre.
IV. Titre : Franklin's valentines. Français.

PS8553.085477F7314 1998 jC813'.54 C98-931723-4
PZ23.B68Be 1998

Benjamin est une marque déposée de Kids Can Press Ltd.

Édition publiée par Les éditions Scholastic, 175, Hillmount Road,
Markham (Ontario) L6C 1Z7, avec la permission de Kids Can Press Ltd.

5 4 3 2 1   Imprimé à Hong-Kong   8 9 / 9 0 1 2 3 4 / 0

Benjamin
et la Saint-Valentin

Texte de Paulette Bourgeois et de Sharon Jennings

Illustrations de Brenda Clark

Texte français de Christiane Duchesne

Les éditions Scholastic

Benjamin sait compter jusqu'à dix à l'endroit et à l'envers. Il connaît tous les jours de la semaine, les mois de l'année et les congés de chacune des saisons. Aujourd'hui, c'est la Saint-Valentin, et Benjamin compte les cartes qu'il a préparées pour ses amis. Il veut s'assurer de n'avoir oublié personne.

— Dépêche-toi, Benjamin, dit sa mère. Tu vas rater l'autobus!

Benjamin attrape son chapeau, prend ses mitaines et enfile ses bottes. Il lance les cartes dans son sac.

— J'y vais! crie-t-il en courant vers la porte.

À l'école, monsieur Hibou fait un concours d'épellation et donne des problèmes de calcul de Saint-Valentin. Mais chacun est trop excité par la fête qui s'en vient pour penser à travailler.

— Ce n'est pas possible! Il faut attendre après le lunch pour échanger nos cartes, murmure Benjamin à Martin Ours.

— Ce n'est pas possible! Il faut attendre après le lunch pour les bonbons, murmure Martin à son tour.

Enfin, l'heure de la fête arrive.

— C'est le moment d'offrir vos cartes, dit monsieur Hibou.

Benjamin fouille dans son sac.

Il sort son chapeau et ses mitaines. Il trouve une balle et un vieux devoir chiffonné. Il retourne son sac à l'envers et le secoue bien fort.

— Qu'est-ce qui ne va pas? demande Martin.

— Mes cartes de la Saint-Valentin! Elles ont disparu! crie Benjamin.

Quand Benjamin a cherché partout, monsieur Hibou lui permet de téléphoner à la maison. Benjamin attend un bon moment pendant que sa mère cherche les cartes.

— Je suis désolée, mon Benjamin, dit-elle enfin. J'ai trouvé tes cartes dehors dans la boue. Elles sont toutes salies.

Benjamin retient ses larmes. Il tend le téléphone à monsieur Hibou et sort de la pièce en courant.

Monsieur Hibou trouve Benjamin dans le vestiaire.

— Te voilà Benjamin, dit-il. Tes amis t'attendent. Nous ne pouvons pas commencer la fête sans toi.

— Je n'ai rien à faire là, réplique Benjamin. Je n'ai même pas de cartes à offrir.

— Je sais, dit monsieur Hibou. Ta maman m'a dit ce qui s'est passé. Et je l'ai dit aux autres.

Benjamin gémit. «Personne ne m'offrira de valentin maintenant», dit-il.

— Hum, fait monsieur Hibou. Si Martin avait perdu ses valentins, est-ce que tu déciderais de ne rien lui offrir?

— Je ne ferais jamais une chose pareille! s'exclame Benjamin. Martin est mon ami.

— Peut-être que Martin ferait de même pour toi? suggère monsieur Hibou.

Benjamin réfléchit un moment.

— Peut-être, dit-il.

Il se sent déjà un peu moins triste.

Il entre dans la classe avec monsieur Hibou.

Benjamin regarde ses amis échanger leurs cartes.

La pile de cartes, là, devant lui, est de plus en plus grosse.

Benjamin est de plus en plus triste. Il y en a tant! Et lui n'a rien à offrir en retour.

Il soupire en ouvrant la carte de Martin.

— Ça ne va pas, Benjamin? demande Martin. Tu n'aimes pas ma carte?

— Oh oui, je l'aime! Mais je suis malheureux, car je n'ai rien pour toi.

— Ce n'est pas grave, dit Martin. Je n'ai pas besoin de valentin pour savoir que tu es mon ami.

Benjamin lui sourit.

Tout le monde s'assemble autour de Benjamin pendant qu'il ouvre ses cartes.

— Je t'ai fait une tortue en papier, dit Arnaud Escargot.

— Moi, je t'ai écrit un poème sur les tortues, dit Béatrice Bernache.

— Et moi, une devinette de tortue, dit Raffin Renard.

— C'est super! s'exclame Benjamin. J'aimerais tant pouvoir vous donner les cartes que je vous avais préparées.

— J'aimerais tant, dit Martin, que nous puissions manger toutes ces bonnes choses!

Ils éclatent tous de rire.

Ce soir-là, Benjamin raconte la fête à ses parents.

— Tu as de bien bons amis, dit son père.

— Oh oui! approuve Benjamin. L'an prochain, je vais leur préparer des cartes de Saint-Valentin hyper-spéciales.

— C'est bien, dit sa mère, tu as toute une année devant toi.

— Je ne sais pas si je pourrai attendre aussi longtemps, dit Benjamin.

Le lendemain matin, Benjamin travaille déjà à sa table lorsque sa mère entre dans sa chambre. Il dessine, écrit, découpe et plie des papiers.

— Qu'est-ce que tu fabriques? demande-t-elle.

— C'est une surprise, répond Benjamin.

Sa maman sourit.

— Dépêche-toi! dit-elle. Tu vas rater l'autobus.

Mais Benjamin ne se presse pas. Il enveloppe tout avec soin et place le colis dans son sac. Il s'assure que les courroies sont bien attachées. Puis, il serre son sac contre lui et sort de la maison.

Aussitôt arrivé à l'école, il ouvre son colis
et donne une carte à chacun de ses amis.

— Mais pourquoi, Benjamin? demande
Lili Castor. La Saint-Valentin, c'était hier.

— Oh! répond Benjamin, ce ne sont pas des cartes pour la Saint-Valentin. Ce sont des cartes pour le jour des grands amis. Et ce jour-là, on le fête quand on veut!